ISBN SÉRIE 2-84580-048-7 / ISBN VOL. 2-84580-094-0
ISBN ÉD.ORIGINALE 4-08-872629-4

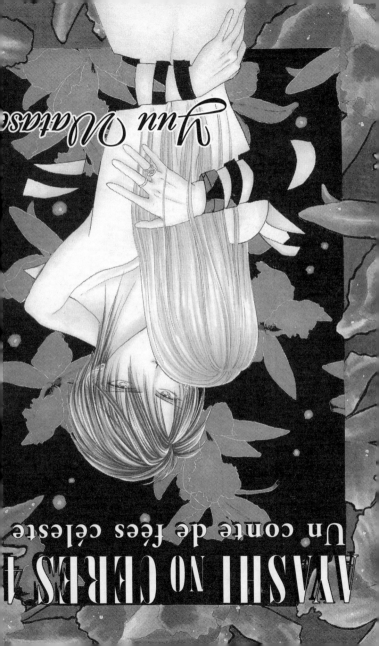

AYASHI no CERES 4
PRÉSENTATION DES PERSONNAGES

AYA MIKAGÉ

JEUNE FILLE BALLOTTÉE AU GRÉ DE SON DESTIN. BIEN QU'ELLE SOIT ATTIRÉE PAR SON ENNEMI, TOYA, ELLE EST TROUBLÉE PAR LA GENTILLESSE DE YUHI À SON ÉGARD.

RÉSUMÉ :

LA VEILLE DE SON SEIZIÈME ANNIVERSAIRE, AYA MIKAGÉ FAIT UNE CHUTE ACCIDENTELLE DU HAUT D'UN PONT. MAIS À SA GRANDE SURPRISE, AU LIEU DE S'ÉCRASER DANS LE VIDE, ELLE SE MET À FLOTTER TOUT DOUCEMENT DANS LES AIRS JUSQU'AU SOL. PEU APRÈS, UN GARÇON MYSTÉRIEUX NOMMÉ TOYA LUI PORTE SECOURS ALORS QU'ELLE MANQUE DE SE FAIRE ÉCRASER PAR UNE VOITURE.

CET ANNIVERSAIRE EST DÉCIDÉMENT MARQUÉ DU SCEAU DU DESTIN... EN EFFET, LA JEUNE FILLE ET SON FRÈRE JUMEAU AKI SE RENDENT À CETTE OCCASION DANS LA RÉSIDENCE DE LEUR GRAND-PÈRE. MAIS EN GUISE DE CADEAU D'ANNIVERSAIRE, AYA SUBIT UN ÉTRANGE TEST DEVANT TOUTE LA FAMILLE MIKAGÉ RASSEMBLÉE. CE TEST RÉVÈLE QUE AYA POSSÈDE DANS SES VEINES DU SANG DE NYMPHE CÉLESTE. EN TANT QUE TELLE, LES MIKAGÉ SE VOIENT OBLIGÉS D'EXÉCUTER AYA. ELLE EST SAUVÉE IN EXTREMIS PAR YUHI, LE BEAU-FRÈRE D'UNE FILLE QUI POSSÈDE ELLE AUSSI DU SANG DE NYMPHE NOMMÉE SUZUMI. PENDANT CE TEMPS, KAGAMI, DE LA FAMILLE MIKAGÉ DÉCIDE D'UTILISER TOYA POUR COMBATTRE LES POUVOIRS DE AYA. MAIS LE PÈRE DE AYA, EN ESSAYANT DE DÉFENDRE SA FILLE BIEN-AIMÉE, EST TUÉ PAR LES HOMMES DE MAIN DE KAGAMI. LA MÈRE DE AYA, À QUI KAGAMI A DIT QUE SA FILLE AVAIT TUÉ SON MARI DEVIENT FOLLE ET AGRESSE AYA. ACCULÉE AU MUR, FACE À LA MORT, AYA PERD LE CONTRÔLE D'ELLE-MÊME ET LAISSE SORTIR AU GRAND JOUR LA NYMPHE QUI EST EN ELLE, CÉRÈS !! CE QUI PERMET À CELLE-CI DE RECONNAÎTRE EN AKI L'HOMME QUI LUI VOLA JADIS SA ROBE DE PLUME. PEU APRÈS, LES MIKAGÉ, QUI ONT OURDI UN PLAN CONSISTANT À PROFITER DES POUVOIRS DES GENS POSSÉDANT UN ADN DE NYMPHE CÉLESTE, KIDNAPPENT SUZUMI. AYA SE TRANSFORME CETTE FOIS-CI DE SON PROPRE GRÉ EN CÉRÈS AFIN DE SAUVER SUZUMI. MAIS CETTE DERNIÈRE, PERDUE DANS SES RÊVES, REFUSE DE SE RÉVEILLER...

TOYA

IL EST L'INSTRU-MENT AU SERVICE DE LA FAMILLE MIKAGE MAIS RES-SENT DE L'AMOUR POUR AYA...

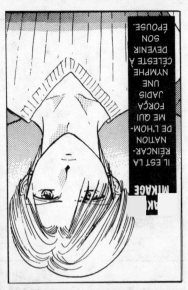

AKI MIKAGE

IL EST LA RÉINCAR-NATION DE L'HOM-ME QUI FORÇA JADIS UNE NYMPHE CÉLESTE À DEVENIR SON ÉPOUSE.

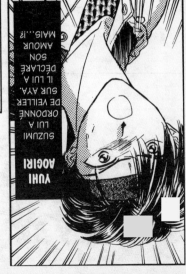

YUHI AOGIRI

SUZUMI LUI A ORDONNÉ DE VEILLER SUR AYA. IL LUI A DÉCLARÉ SON AMOUR MAIS...!?

KAZUMA
...

SUZUMI, !!
SUZUMI,
RÉPONDS-MOI
!!

CÉRÈS !!
FAIS QUELQUE
CHOSE
!!

SORS-LA
DE SON
SOMMEIL
!!

IMPOSSIBLE
!!

ELLE EST ENTRÉE À L'INTÉRIEUR DE SES RÊVES PAR SA PROPRE VOLONTÉ

ELLE N'EN RESSORTIRA QUE LORSQU'ELLE L'AURA DÉCIDÉ

BOUM...

BOUM...

...TOUT COMME TOI... TOI QUI ES VENU ICI DE TA PROPRE VOLONTÉ...

BON, JE VAIS VOUS APPORTER LES PREMIERS SOINS...

OCCUPE-TOI PLUTÔT DE SUZUMI...

PÈRE, TENEZ BON, J'APPELLE UNE AMBULANCE !!

...QU'EST CE QUE TU VEUX DIRE ?!

PÈRE... POURQUOI... M'AVEZ-VOUS PROTÉGÉ ?...

8

...JE SERAI FOU DE JOIE, QUE CET ENFANT SOIT UN GARÇON OU UNE FILLE, TOUT CE QUI COMPTE...

...C'EST QUE TU N'AIES PAS DE PROBLÈME EN LE METTANT AU MONDE...

...TANT QU'ELLE N'AURA RIEN DE PLUS IMPORTANT QUI L'APPELLERA DANS LA RÉALITÉ, ELLE NE REVIENDRA PAS PARMI NOUS...

OOH... TROIS MOIS DÉJÀ ?! ...QUEL BONHEUR MON AMOUR !!

JE T'AIME

JE N'ÉTAIS PAS AU COURANT ...!!

......

ALORS... QUAND ELLE S'EST EFFONDRÉE LE JOUR DE L'ENTERREMENT DE KAZUMA...ET QU'ELLE EST RESTÉE PLUS DE DEUX SEMAINES À L'HÔPITAL...

14

PENSE À CE QU'IL T'A DIT !!

SUZUMI

C'EST ENCORE UN ENFANT, IL PARLE PEU ET RESTE TOUJOURS SEUL... MON PÈRE NE PEUT PAS S'OCCUPER DE LUI COMME IL LE VOUDRAIT, EU ÉGARD À MA MÈRE ...

YUHI N'A QUE MOI... JE DOIS VEILLER SUR LUI...

C'EST VRAI... JE DOIS VEILLER SUR LUI...

KAZUMA, TON PETIT FRÈRE SERA MON PETIT FRÈRE ...

"JE VAIS VEILLER SUR LUI... JUS-QU'À CE QU'IL DEVIENNE UN ADULTE"

MADAME
SUZUMI

SUZUMI
...

BAAAM

CRIISH

"VEILLE SUR
YUHI À MA
PLACE..."

BON
RETOUR
PARMI
NOUS

...
YUHI
...

...
BIEN...
J'AI COMPRIS
...

LES BLA-BLAS DE YUU WATASE

Bon, salut c'est le volume 4. Je vous avertis que je vais passer souvent du coq à l'âne mais n'en tenez pas compte et continuez à lire.

Alors que j'écris ces six bla-bla, il se passe des choses terribles dans ce monde. Je suis plus que déprimée et mes sentiments vont du gris clair au gris foncé.

J'ai discuté avec mes assistantes et nous sommes arrivées à la conclusion que ce n'est pas possible pour les adultes de comprendre les enfants. Quand on devient adulte, on oublie une partie de ce qu'on possédait quand on était à l'école ou au collège. La raison de cet oubli est que nous devons sans cesse nous concentrer pour continuer à survivre (rires).

Nous avons parlé de ce que nous pensions dans notre jeunesse et cela m'a rappelé que j'avais envie d'avoir des superpouvoirs (rires). Des pouvoirs uniques que j'aurais utilisés pour me venger des personnes que je n'aimais pas (rires). Je voulais devenir quelqu'un d'autre et rencontrer un être qui me comprenne vraiment, même si ça devait être un fantôme ou bien un monstre.

En fait, j'ai complètement oublié tous ces sentiments quand j'ai compris qu'on peut ne pas être heureux même avec des superpouvoirs. Ainsi, maintenant je me contente de dessiner ces superpouvoirs dans mes BD (rires). Renoncer à ses rêves d'enfant... je me demande si c'est cela ce que l'on appelle devenir adulte.

D'abord on vous dit sans cesse "finis tes études avant !!" et au bout du compte ça devient le plus important... Moi, je détestais l'école (rires). J'aimais les études ou plutôt elles ne me dérangeaient pas mais la vie en groupe ne me convenait pas. Je n'étais peut-être pas très sociable (rires). Vous savez il paraît que ceux qui sont du groupe sanguin B ne suivent pas le rythme des autres......... Ooooh, je me demande ce qui me prend d'être aussi sérieuse tout à coup !! Je continuerai la prochaine fois.

REGARDE DEVANT TOI !!

QUE JE SUIS CONTENTE QUE TOUT LE MONDE SOIT SAIN ET SAUF !!

JE PEUX AUSSI CONDUIRE AVEC MES PIEDS !!

JE COMMENÇAIS À ME DIRE QUE JE DEVRAIS ALERTER L'ARMÉE ♪ !!

ARRÊTE ÇA ☆ !!!

"TOUS LES GENS DE CETTE MAISON... SONT MAINTENANT DEVENUS MA NOUVELLE FAMILLE !!"

... MAIS AVEC UN PEU DE COURAGE ...

TOUT PEUT DEVENIR PLUS FACILE ET ON PEUT CHANGER LES CHOSES ...

... JE SUIS CREVÉ ...

SANS CETTE RÉFLEXION DE AYA, JE SERAIS PEUT-ÊTRE PASSÉ À CÔTÉ DE CHOSES IMPORTANTES ...

C'ÉTAIT PÉNIBLE D'ALLER LÀ-BAS ...

MAIS...
QU'EST-CE
QUE TU...
FABRIQUES
...?!

GRR
GRR

... SUZUMI ET TON PÈRE VONT BIEN !?

... OUI, GRÂCE À TOI !

JE N'AI FAIT ÇA QUE POUR TE FAIRE REPRENDRE CONSCIENCE AYA !!!

GRR...

PAF PAF BAM!

MAIS NON, J'AI GLISSÉ, C'EST TOUT !!

OBSÉDÉ !! SATYRE !!

EXCUSEZ-MOI VOUS DEUX MAIS NOUS SOMMES ARRIVÉS

FF

TCHAC...

J'AI BIEN RÉFLÉCHI ...

... NON, PAS MOI, GRÂCE À CÉRÈS !

ET... TOYA

POURTANT TU SAIS QUE TANT QUE TU TE CHANGERAS EN CÉRÈS, TU NE POURRAS QUE COMBATTRE TON PROPRE FRÈRE !!

...TU ABANDONNES L'IDÉE DE FAIRE DISPARAÎTRE CÉRÈS ?

CE QUE FONT LES MIKAGÉ AVEC LEUR PROJET C... JE VAIS TOUT FAIRE POUR TENTER DE L'ARRÊTER !!

ET POUR Y PARVENIR, JE DOIS COMPTER SUR CÉRÈS !!

J'AI PRIS MA DÉCISION !

AVEC TOUT CE QUE JE SAIS DES MIKAGÉ... C'EST MA RESPONSABILITÉ...

QUI NE ME PLAÎT PAS... MAIS D'AUTRES PERSONNES RISQUENT DE SE FAIRE ENTRAÎNER SANS LE SAVOIR... COMME URAKAWA... ÇA SUFFIT !!

AKI S'ÉLOIGNE DE PLUS EN PLUS... AKI...

TOYA

TCHAC...

ALORS
TOYA
?

ENTRE "LES
SOUVENIRS"
ET "AYA"...
LEQUEL DES
DEUX CHOI-
SIS-TU ? TU Y
AS BIEN
PENSÉ
?

TAP

KAGAMI
...

... ME PARLER ?

OH, QUELLE HORREUR...JE VAIS T'ENLE-VER TES MENOTTES !!

... AKI

...

BIP

IL PARAÎT QUE... TU AIMES AYA ... ?

CLING !

AKI VOULAIT ABSOLUMENT TE PARLER

...

... POUR MOI C'EST AYA !

TOYA !!

... JE PENSE AUSSI QUE MA SŒUR... A UN SENTI-MENT POUR TOI...

J'AI CRU COMPRENDRE QUE TU VOU-LAIS LA PRO-TÉGER ?

.....

JE PENSE QUE JE SUIS UN PEU PERTURBÉ À FORCE DE RESTER ENFERMÉ...

... CE N'EST RIEN

JUSTE UNE ÉGRATIGNURE

CES DERNIERS TEMPS EN PARTICULIER... JE ME SENS AMORPHE ET J'AI L'IMPRESSION DE DEVENIR UN AUTRE... COMME SI JE M'ÉLOIGNAIS DE MOI-MÊME...

MAIS CE N'EST PAS UNE RAISON POUR FAIRE DU MAL AUX AUTRES... ET SURTOUT À TOI TOYA...

...JE PENSAIS BIEN T'AVOIR DÉJÀ VU QUELQUE PART...

TU... TU ES CELUI QUI A SAUVÉ AYA DE LA VOITURE LA VEILLE DE NOTRE ANNIVERSAIRE...

LES BLA-BLAS DE YUU WATASE

Ah oui, je suis en train de penser qu'avant, je vous avais écrit qu'il y avait une ambiance sombre dans "Ayashi no Cérès". Cette histoire se passe de nos jours et à mon avis, dès que j'essaye de créer une histoire qui se passe de nos jours ça devient sombre. Pour moi, cela veut dire que l'image que j'ai de notre époque actuelle est pessimiste. C'est gris. (Je parle seulement du Japon). Les hommes et même les enfants ont des images lourdes de sens. Ils m'ont l'air fatigués. Les groupes de jeunes lycéennes aussi qui ressemblent les unes aux autres tels des clones, qui sont les symboles de nos jours, pour moi et mon éditeur, ne sont pas plus dynamiques. Leur apparence gaie cache souvent quelque chose derrière. Elles ne s'en rendent peut-être même pas compte. Après tout, si elles s'amusent ainsi cela ne me concerne pas mais… Si je montre cette partie de notre époque, mon œuvre devient bien sûr très noire, mais je pense qu'il y a pas mal de choses pour lesquelles on peut se dire que les hommes sont tout de même intéressants. Peut-être ces jeunes filles appelées "Kogirl" (traduction littérale enfant-femme) sont-elles également très sérieuses au fond d'elles. C'est vrai ! Ça c'est un problème, le fait que les médias exagèrent trop !! Il est vrai aussi qu'il y a trop d'adultes idiots !! Mais s'il vous plaît, les jeunes, n'abandonnez pas !! Vous pouvez changer la situation autant que vous le voudrez, je crois. Chacun a en vérité "le pouvoir". Vous pouvez vous dire que ce ne sera pas la peine lorsque vous vieillirez donc, je fais Aya se battre. Les tueries entre les parents et les enfants et les diverses magouilles entre l'argent et le pouvoir, bref "la famille Mikagé", tout cela est pour moi le symbole de cette époque. J'ai l'impression que le thème n'a pas changé depuis ma dernière œuvre… Au fond j'écris toujours la même chose. Ça doit être écrit quelque part dans mon ADN.

39

LE GARÇON DE CETTE CHANSON... "HAKURYOU" VOIT LA NYMPHE CÉLESTE TRISTE ET DÉCIDE DE DE LUI RENDRE LA ROBE DE PLUME QUI LUI A ÉTÉ VOLÉE...

EN RETOUR, LA NYMPHE LUI MONTRE UNE DANSE ET S'EN RETOURNE VERS LES CIEUX ...

PAS DE CHANGEMENT... PARDON DE TE DÉRANGER !

COMMENT VA TA MÈRE ?

CE N'EST RIEN... CETTE DANSE NE SE DANSE PAS TOUTE SEULE DE TOUTE FAÇON

...CELUI QUI DANSAIT AVEC MOI JADIS N'ÉTANT PLUS LÀ...JE NE L'AVAIS PLUS DANSÉE DEPUIS UN AN...

...MOI LA FILLE CÉLESTE, JE RESTE LÀ, TANDIS QUE LUI EST REPARTI VERS LES CIEUX ...

... À CAUSE DE ÇA, JE GARDERAI "UN AMOUR ÉTERNELLEMENT MALHEUREUX" ...

J'ADMIRE TA FORCE SUZUMI ...

HM...

QUOI ?

IL EXISTE PLUSIEURS FORMES DANS L'AMOUR... IL PEUT TE FAIRE HÉSITER... SOUFFRIR...

MOI, SANS PERSONNE À MES CÔTÉS, JE ME SENS TOUT DE SUITE INQUIÈTE...

ORSQUE J'AI PERDU MON ARI ET MON ENFANT... JE AI PLUS FAIT U'ESSAYER E FUIR MON DESTIN

JE NE SUIS PAS FORTE, MAIS J'ESSAIE DE LE DEVENIR ...

MAIS MAINTENANT J'EN SUIS VENUE À PENSER QUE... PLUTÔT QUE DE TOURNER LE DOS À SON DESTIN, IL FAUT SE RELEVER ET Y FAIRE FACE...

...HÉSITANTE COMME UN ENFANT...JE N'ARRIVE MÊME PAS À SAVOIR SI JE SUIS AMOUREUSE

MAIS AVANT TOUT, IL FAUT AGIR CONTRE LES MIKAGÉ... J'AI TENTÉ CES DERNIERS JOURS DE COMPRENDRE LEURS INTENTIONS... MAIS JE MANQUE D'INFORMATIONS, ÉVIDEMMENT IL N'EST PAS QUESTION DE LES ATTAQUER DE FRONT

SUZUMI...

EN TANT QUE FEMME, JE SOUHAITE QUE TU CONNAISSES TRÈS VITE À TON TOUR CE BONHEUR ! ...

DE PLUS... MÊME SI C'ÉTAIT TRÈS COURT, AU MOINS DANS MA VIE J'AI RENCONTRÉ UNE FOIS LE VRAI BONHEUR ...

MÊME SI CELA ME DÉPLAÎT, JE DOIS UTILISER LA FORCE DE CÉRÈS POUR LES COMBATTRE

AUJOURD'HUI ENCORE... DES GENS AU JAPON VONT ÊTRE VICTIMES DES PLANS DIABOLIQUES DES MIKAGÉ

MAIS... OÙ ET COMMENT ?

TAP TAP TAP TAP TAP   TAP TAP TAP TAP TAP

TAP TAP TAP TAP TAP TAP TAP TAP TAP TAP TAP TAP TAP

AOGIRI

LES AUTORITÉS ONT PROCÉDÉ À UNE DISTRIBUTION DE MÉDICAMENTS PAR MESURE DE PRÉCAUTION...

TOCHIGI

ON M'APPREND À L'INSTANT QU'ON AURAIT DÉCOUVERT UNE NOUVELLE BACTÉRIE DANS LA RÉGION DE TOCHIGI...

TCHAC
TCHAC
TCHAC
TCHAC
TCHAC

TCHAC

BON

...

MOI ?!

JE VOU-DRAIS VOIR

... JOUR TOUT LE MONDE !!!

M. YUHI AOGIRI S'IL VOUS PLAÎT !!!!!

SPLAAF

MAIS NON !!!!!

GRRR

UN LOLITA-COMPLEX ?

YUHI...TU N'AURAIS PAS FAIT DES FOLIES AVEC CETTE ENFANT ? ...

QU... QU'EST CE QUE C'EST !?

FRIT FRIT

JE SUIS CONTENTE, T'ES ENCORE PLUS BEAU EN VRAI !!!

HMM —————

OH !

TU N'ES PAS CELLE QUI A VOLÉ DANS LES AIRS AVEC YUHI ?!

AYA !! NON, ATTENDS !!

TAP TAP TAP

... ATTENDS TOI !!

QU'EST-CE QUE ?! ...

... QUOI ...?

MONTRE-MOI BIEN TA TÊTE !!

VOUS ME CROYEZ HEIN ?!!

IL Y A "ERREUR SUR LA PERSONNE" !! JE NE CONNAIS MÊME PAS CETTE FILLE !!

J'ESPÈRE QUE VOUS AVEZ PRIS VOS PRÉCAUTIONS AVANT DE...

IL Y A TROIS MOIS EN ALLANT À L'HÔPITAL DE SHINJUKU, J'AI PRIS CETTE PHOTO PAR HASARD ...

ET PUIS IL Y EU CE REPORTAGE SUR UN FEU DANS UNE ÉCOLE À LA TÉLÉ ET J'Y AI RECONNU YUHI... JE PENSAIS QUE JE DEVAIS LE RENCONTRER ...

À TOCHIGI !?

VOUS DEVEZ RENCONTRER MON PETIT FRÈRE !!

TOCHIGI

... ALORS, DEPUIS LA DÉCOUVERTE DE CETTE BACTÉRIE DONT ILS ONT PARLÉ AUX INFOS, L'ÉTAT DE TON FRÈRE ...

OUI ! MOI J'AI PRIS LES MÉDICAMENTS QUI ÉTAIENT DISTRIBUÉS ET JE NE SUIS PAS TOMBÉE MALADE MAIS CE N'EST PAS LE CAS DE PLUSIEURS PERSONNES ...

MON PETIT FRÈRE EST HOSPITALISÉ ICI DEPUIS TROIS JOURS !

VLAN

EN VOILÀ UNE DRÔLE D'HISTOIRE... PEUT-ÊTRE QUE LES MIKAGÉ SONT IMPLIQUÉS LÀ-DEDANS !

OUI ...

コウ SHOTA KURAMA

COUCOU SHOTAAA ! C'EST MOIIII !!

CHIDORI ...

NON... MON MÉDECIN EST TRÈS COMPÉTENT IL PARAÎT... EN TOUT CAS, C'EST UN TYPE GÉNIAL !

AAAH ?!! VIVEMENT QUE JE LE VOIE !!!

OH

TU N'AS PLUS DE FIÈVRE !?

7ᵉ étage

AAH AAH
AAH
AAH

ELLE EST TERRIBLE CETTE GOSSE !

BOOM

ALLEZ, VOLE !!

... JE SAVAIS BIEN QUE C'ÉTAIT UNE BLAGUE !

HÉLAS... MES JAMBES REFUSENT TOUJOURS DE BOUGER !

NE SOIS PAS SI DÉFAITISTE !! LE DOCTEUR A DIT QUE TU AVAIS 40% DE CHANCES DE RETROUVER L'USAGE DE TES JAMBES !!!!

SI, ELLE PEUT VOLER !! C'EST COMME TOI... SI T'ENTRAÎNES À MARCHER... UN JOUR TU DEVIENDRAS PILOTE ET TU POURRAS VOLER !!

MAIS NON SHOTA !! ELLE EST EN MINI-JUPE, CE SERAIT GÊNANT POUR ELLE DE VOLER COMME ÇA, C'EST POUR ÇA !!

JE RÊVE LÀ ?!

LAISSE TOMBER CHIDORI...C'EST PAS POSSIBLE DE VOLER !

JE N'EN SAIS RIEN !!!

COMMENT TU VAS FAIRE !?

... TOI ALORS !!..

... OUI !

"S'IL VOUS PLAÎT MADAME AYA, FAITES VOLER MON PETIT FRÈRE... POUR QU'IL RETROUVE L'ENVIE DE DEVENIR PILOTE... ET DE FAIRE TOUS LES EFFORTS POUR REMARCHER"

TAP TAP

CETTE PETITE FILLE A FAIT TOUT ÇA POUR SON FRÈRE ...ET SI SHOTA AVAIT EN LUI LE GÉNOME C ...

ET JE NE PLAISANTE PAS !!

"SI TU REFUSES JE VENDRAI CETTE PHOTO À TOUTE LA PRESSE" !!

56

IL FAUT SAVOIR FAIRE FACE SANS S'EN-FUIR... MÊME SI ON DOIT AFFRONTER LA TRISTESSE ...

CÉRÈS LE PEUT ELLE... CE SERAIT UNE BONNE RAISON... POUR ME TRANSFOR-MER ...

BAH... CE N'EST RIEN, "MOI" JE NE SAIS PAS VOLER MAIS ...

CE "MOMENT DE VRAI BONHEUR" DONT PARLAIT SUZUMI... PEUT-ÊTRE QU'UN JOUR VIENDRA LE TEMPS D'Y PENSER ?

...BON, IL NOUS FAUT VÉRIFIER S'IL Y A D'AUTRES PORTEURS DU GÉNOME C

...NE TE FORCE PAS AYA ...

...MAIS QUI... ?...

CE MOMENT OÙ JE POURRAI ÊTRE AVEC QUELQU'UN ...

TAP

TAP

TAP

...
QUELS SEN-
TIMENTS...
ÉPROUVAIS-
TU POUR
MOI, TOYA
?

TAP

TAP

TAP

...
TOYA M'AVAIT
DÉJÀ PRIS
DANS SES
BRAS DE
CETTE FAÇON
...

CELLE DONT
J'AI BESOIN...
C'EST "AYA
MIKAGÉ" ET
PAS UNE
AUTRE
...

PEU IMPORTE
CE QUE TU
DEVIENS
...

YU...
HI...

MONSIEUR YUHI, ENLE-
VEZ VOTRE GOBELET DE
MA TÊTE, JE NE PEUX
PLUS BOUGER
!!

TOYA

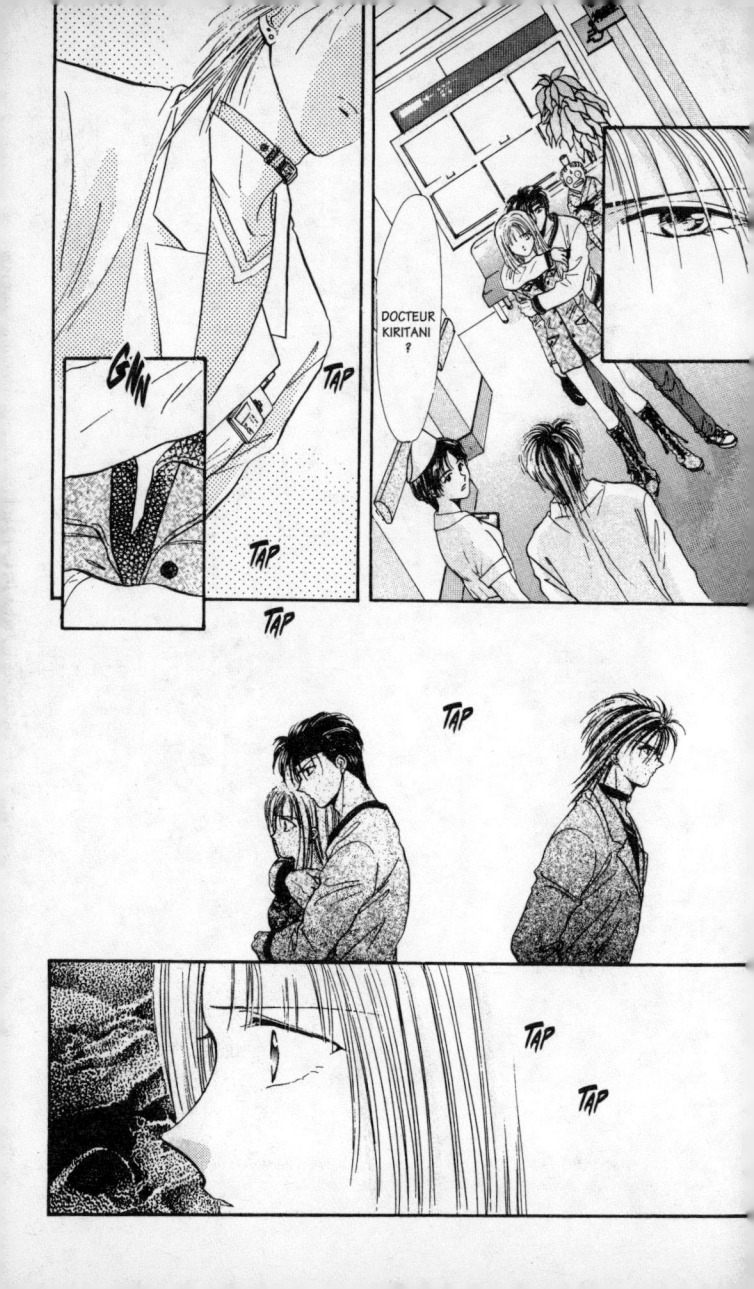

... LA BLOUSE BLANCHE VOUS VA DÉCIDÉMENT TRÈS BIEN, DOCTEUR !!

TAP

TAP

TAP

TOYA... SON VISAGE EST RESTÉ IMPASSIBLE ...

TAP

TAP

... PFF, IL EST BIEN LE DER-NIER QUE JE VOULAIS VOIR CELUI-LÀ !!

EN TOUT CAS, ÇA PROUVE QUE LES MIKAGÉ SONT DANS LE COUP !! AAAH, LES ENFOIRÉS !!

J'AI MAL... À LA POITRINE

JE SAIS POURTANT QUI IL EST MAIS... POURTANT MAINTENANT ...

AKI ME DISAIT SOUVENT QUE JE SUIS FORTE DANS L'ADVERSITÉ ET QUE LES MALHEURS S'EFFACENT DEVANT MOI ...

MOI ? JE SUIS EN PLEINE FORME !! ET GRÂCE À TOI !!

JE N'AI PAS PU SAUVER URAKAWA ...

... C'EST AINSI QUE J'AGIRAI DORÉNAVANT ! SINON JE NE POURRAI PAS FAIRE FACE AUX MIKAGÉ !

... JE VOIS ...

ENSUITE, CE FUT SUZUMI LA PROCHAINE CIBLE... ET JE ME SUIS TRANSFORMÉE DE MOI-MÊME EN CÉRÈS ! J'AI PEUT-ÊTRE MÊME TUÉ DES GENS !

... QU'EST CE QUE JE RACONTE... MOI ?!

ET PUIS ...

M'A DIT ...

YUHI ...

QU'IL M'AIMAIT ...

MAIS JE N'AI PAS PU RÉSISTER... TOUT À L'HEURE QUAND JE T'AI VU... JE NE SAIS PAS POURQUOI MAIS ...

IL M'A EMBRASSÉ... ET ON A MÊME FAILLI FAIRE L'AMOUR !!

JE ...

CONTRER LES MIKAGÉ, C'EST ÇA LE PLUS IMPORTANT !!

67

...
TU M'AS DIT QUE TU VOULAIS DES MOTS CONCRETS
...

SNIF
SNIF

CE QUE J'ÉPROUVE POUR TOI... J'AI TENTÉ DE LE RECHERCHER EN MOI
...

PARCE QU'ON ME L'A DIT, JE L'AI ENFIN COMPRIS POUR LA PREMIÈRE FOIS, MAIS... MÊME SI JE LE RESSENS, JE NE PEUX PAS LE DIRE...

TU ES EN TRAIN DE ME DIRE QUE TU CONNAIS LE SENTIMENT D'AMOUR ENVERS LES AUTRES"

...NON, LE MOT QUE J'UTILISERAIS N'AURAIT PAS LE MÊME SENS... IL M'EST DIFFICILE DE LE PRONONCER
...

...
QU'EST CE QUE TU DIS ? C'EST UN MOT SI SIMPLE POURTANT !!

DING DONG

LE DOCTEUR
KIRITANI EST
DEMANDÉ
DE TOUTE
URGENCE
...

...
DANS LA
SALLE DES
MALADIES
INTERNES
DU NIVEAU
TROIS...

AYA SE COMPORTE AVEC TOI COMME UN COPAIN ALORS QUE TOI TU ÉPROUVES POUR ELLE DE TENDRES SENTIMENTS, COMME C'EST TRISTE !

CHIDORI !?

SPAF

JE M'EN DOUTAIS !

CLIC CLAC

CRASH

PLENTY TOUGH SPORT

QUOIII ?

JE NE PENSAIS PAS TE CHERCHER AVANT QUE SHOTA NE VOIE LA PHOTO IL Y A UNE SEMAINE... MAIS JE TE TROUVAIS DÉJÀ SI MIGNON YUHI ! ♪

BAH, DÉPRIME PAS, TU PEUX ME PRENDRE COMME PETITE AMIE SI TU VEUX !!

BOUH

LES BLA-BLAS DE YUU WATASE

Enfin !! Ces temps-ci, je suis folle de "FF7". Vers le jour de l'an quand je restais au lit, grippée, je voyais tellement de pubs à la télé que j'avais l'impression de subir un lavage de cerveau et j'ai fini par acheter le produit en le réservant mais je ne l'ai pas ouvert pendant presque six mois. Quoi ?! Pourquoi je n'ai pas commencé tout de suite ?! C'est parce que le travail me prenait trop de temps et il y avait le déménagement et je n'avais pas la tête à cela. En plus, je n'avais jamais joué à un RPG !! Je suis sérieuse !! Dans la série Final Fantasy, j'avais le N°3 mais ce genre de jeu est compliqué et puis il faut se battre ou accomplir des épreuves, bref, je ne l'aimais pas du tout !! Je l'avais commencé mais j'avais fini par abandonner. Cette fois, en tant que "dessinatrice" j'ai eu envie de regarder l'image et seulement avec l'idée que cela puisse me servir, j'ai commencé sans passion... je me suis dit, c'est pas mal, c'est intéressant et je voulais voir la suite... "zut, je suis déjà accro" (rires). Je suis tombée amoureuse de Cloud, le personnage principal. J'ai aussi une amie qui s'est mise à ce jeu et ensemble on se raconte les histoires. "dessine-moi Cloud" et je lui réponds "compte sur moi" ... mais je me demande si j'aurai le temps. Ah oui, dans le passé comme je dessinais pour des jeux, ma maison d'édition (les lecteurs aussi) pensent que je suis une joueuse passionnée mais je suis désolée je n'ai pratiquement aucun jeu ni d'expérience. Je possède les consoles de jeu PlayStation et Saturn (la personne responsable pour moi dans ma maison d'édition me les a données). J'ai tout ça chez moi mais avec au maximum dix jeux. En plus, je n'y ai jamais joué !! À une époque, je me suis intéressée au jeu "Street Fighter 2" mais je l'ai laissé tomber (ça fait trop mal aux doigts). Vraiment je ne jouais pas plus que la moyenne des gens mais maintenant je me suis réveillée !! Seulement, j'ai aussi le travail !! Alors que dois-je faire... ?!!! Voilà pourquoi maintenant, j'écoute en travaillant des bandes originales de jeux vidéo...

JE DOIS ENCORE M'EN REMETTRE À LA NOTORIÉTÉ DE MON PÈRE... ?

HÉÉÉÉÉ, VENEZ DONC CHEZ MOI !!

NOUS ACCEPTONS TON INVITATION AVEC ♡ PLAISIR !!

HMMM... VOYONS... À QUEL JOURNAL VAIS-JE ENVOYER CETTE FAMEUSE PHOTO EN PREMIER ?...

J'ESPÈRE QUE TU PLAISANTES ? !! JAMAIS NOUS NE ...

VOUS ÊTES VENUS SPÉCIALEMENT POUR VOIR SHOTA, LE MOINS QUE JE PUISSE FAIRE, C'EST DE VOUS ACCUEILLIR !!

HEIN DIS DIS HÉ HE

SALE GOSSE !! TU ME LE PAIERAS UN JOUR !!

GRRR

VOUS ÊTES UN GARÇON SÉRIEUX ...

HA HA HA HA HA

VOILÀ VOILÀ !!

GLOUPS

BIEN SÛR, CE N'EST QU'UN RÊVE MAIS UN JOUR J'AIMERAIS OUVRIR UN RESTAURANT AVEC LA FEMME QUE J'AIME...

TOI AUSSI T'ÉTAIS COMME ÇA !!

SPAF

C'EST CE QU'ON PEUT APPELER "UN PLAN FAMILIAL OPTIMISTE"

ALORS QUE LES BALLES ENVOYÉES PAR TOYA S'ARRÊTENT TOUJOURS JE NE SAIS OÙ...

YUHI

IL DIT DES CHOSES QUI ME VONT DROIT AU CŒUR COMME DES BALLES

REGARDE ! C'EST DE LÀ QUE VIENT CETTE CICATRICE

ILS NOUS ONT PROTÉGÉS TOUS LES DEUX, MAIS LEURS NUQUES SE SONT ROMPUES ET ILS SONT MORTS SUR LE COUP...

IL Y A DEUX ANS, ALORS QU'IL PLEUVAIT, UN BUS A GLISSÉ SUR LA ROUTE... C'EST COMME ÇA QUE SHOTA A ÉTÉ BLESSÉ !

C'EST PAPA ET MAMAN !

QU'EST CE QUE TU AS AYA... ?

BON , JE VAIS ME COUCHER AVEC YUHI, BONNE NUIT !

HI HI

BONNE N...

...
JE VOIS, ALORS ON EST COMME DES SŒURS ...

HÉ HÉ HÉ !

MOI AUSSI... MON PÈRE EST MORT EN ME PROTÉGEANT ...

CES DEUX ENFANTS ONT PLUS DE BLESSURES QUE JE NE L'AVAIS IMAGINÉ

CROuic

MAIIIIS...

CE SERAIT BIEN SI JE POUVAIS AIDER SHOTA

DOCTEUR KIRITANI

DOCTEUR KIRITANI !

NE VOUS ENDORMEZ PAS... VOICI LES RAPPORTS SUR LES MALADES SPÉCIAUX...

DOCTEUR KIRITANI, VOUS M'EN-TENDEZ !?

KIRITANI... AAH OUI... C'EST MOI

86

SHOTA KURUMA

AH OUI, À PROPOS DE VOS CHEVEUX ! ON DIRAIT UNE COULEUR CUIVRE...CE N'EST PAS TROP VOYANT ? C'EST UNE MODE AMÉRICAINE OU QUOI ?!

VEUILLEZ LES COUPER COURTS OU BIEN FAIRE UN CHIGNON ! ET PUIS, TOUTES CES BRELOQUES À VOTRE OREILLE ET VOTRE COU, VOUS DEVRIEZ LES... EST-CE QUE VOUS M'ÉCOUTEZ !!?

AAH

AAH

....

TU NE TE SENS PAS BIEN ?

SI... ÇA VA... J'AI JUSTE UN PEU MAL...

TU AIMES REGARDER LE CIEL ?...

TAP

J'AIME BIEN PENSER À CE QU'IL Y A DE L'AUTRE CÔTÉ DU CIEL... À L'ENDROIT OÙ SE TROUVENT MON PAPA ET MA MAMAN ...

87

88

LES ÊTRES HUMAINS SONT TRISTES, DE LA NAISSANCE À LA MORT... TOUJOURS TOUT SEULS...

UN PAPA ET UNE MAMAN ?

JE N'EN SAIS RIEN

MAIS MOI... J'AI MA SŒUR, MON PAPI, MA MAMIE...

ET DES AMIS... VOUS N'EN AVEZ PAS DOCTEUR ?

CE N'ÉTAIT PAS GÊNANT QUAND VOUS ÉTIEZ ENFANT ?

NON !

...JE NE M'EN SOUVIENS PAS...

VOUS AVEZ TOUJOURS ÉTÉ TOUT SEUL ALORS ?

...VOUS N'ÊTES PAS TROP TRISTE... ?

MOI JE N'AI-MERAIS PAS ÇA, J'AURAIS TRÈS PEUR !!

...MAIS C'ÉTAIT AVANT... MAINTENANT J'AI QUELQUE CHOSE D'IMPORTANT ...

J'AI TOU-JOURS EU PEUR...

AH TANT MIEUX !! ET VOUS ÊTES CONTENT ?!

OH !

MAIS JE N'ÉTAIS PAS TRISTE... N'AYANT RIEN D'IMPORTANT, JE N'AVAIS RIEN À PERDRE ...

MAIS SI C'EST DUR, ON NE PEUT PAS GUÉRIR ? NI S'ENFUIR ?

ÇA DEVIENT DUR, JE NE SAIS PAS QUI JE SUIS ET QUOI QUE JE DISE OU FASSE, TOUT PEUT PARAÎTRE COMME UN MENSONGE

JE NE PEUX PAS FUIR CE SENTI-MENT... UN JOUR... POUR CETTE PERSONNE PEUT-ÊTRE QUE JE DÉCOUVRIRAI "QUI JE SUIS"...

DEUX ÊTRES HUMAINS N'EN FERONT JAMAIS UN SEUL...

C'EST ÇA MON BONHEUR, "MON BON-HEUR DOULOU-REUX"...

MÊME QUAND JE L'APPROCHE... JE NE LUI CRÉE QUE DES BLES-SURES... ET POURTANT JE N'ARRIVE PAS À L'OUBLIER

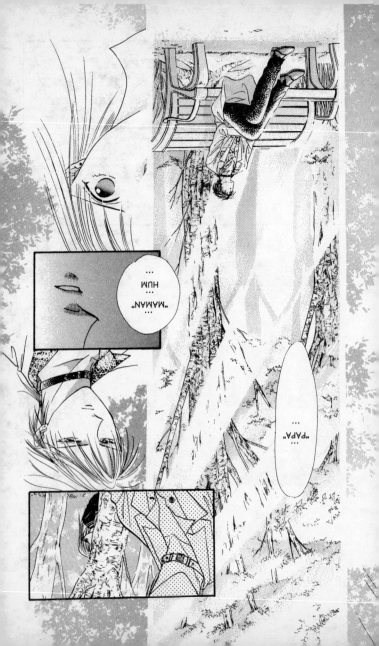

"TU NE ME MONTRES JAMAIS RIEN DE CONCRET !!"

"POURQUOI CE VISAGE SANS EXPRESSION ?!!"

MAIS MON CŒUR EST TROP ÉGOÏSTE... JE NE PENSE QU'À MA TRISTESSE ET À ME METTRE EN COLÈRE... SIMPLEMENT POUR ME SATISFAIRE !!

SANS RIEN PENSER JE LUI DEMANDE DE M'AIMER ET POUR MON BONHEUR JE LUI DEMANDE DE FAIRE ATTENTION À MOI

J'AI PU RESTER SUR CETTE IMPRESSION D'AMOUR AU DÉBUT

IL SOUFFRE AUSSI UN PEU POUR MOI...

LA SOLITUDE DANS LAQUELLE SE TROUVE TOYA N'EST MÊME PAS IMAGINABLE

MOI NON PLUS, JE NE M'ENFUIRAI PAS...

DE TOUS CES "BONHEURS DOULOUREUX" QUE CHACUN DE NOUS PORTE EN SOI

C'EST CERTAINEMENT LE FAIT D'AIMER QUELQU'UN QUI EST LE PLUS GRAND...

VOYONS... ICI C'EST MLLE SASAMINÉ...

JE ME DEMANDE COMMENT MIKAGÉ FAIT POUR LES REPÉRER ? ONT-ILS DES SIGNES PARTICULIERS ?!...

AH, C'EST IMPOSSIBLE ! C'EST DE L'HISTOIRE ANCIENNE ET LEURS ANCÊTRES SONT DISSÉMINÉS À DROITE À GAUCHE...

SI ON ARRIVE À PROUVER QUE TOUS CES GENS-LÀ VIENNENT DE HAGA ET SHIOYA... LÀ D'OÙ VIENT LA LÉGENDE DE LA ROBE DE PLUME...

KYO-KOOOOOO !!

SPAF

APPELEZ UN MÉDECIN ! VITE !!!

OOUH ...

GRIC GRIC ;

98

PEU IMPORTE LA FORME QUE TU PRENDS, TON CŒUR RESTE LE MÊME...

PLUTÔT QUE DE LE REFOULER, IL FAUT L'ACCEPTER...

REFUSER, C'EST UN PEU COMME FUIR

N'AIE PAS PEUR

CÉRÈS EST UNE PARTIE DE MOI, ÇA DEVRAIT ALLER

TAP

SAAH

ET TOI, TU NE ME TUES PAS ? TOUT CEUX QUI SONT AVEC LES MIKA-GÉ SONT TES ENNEMIS, NON ?

PAF

TU VAS ESSAYER DE ME CAPTURER ? C'EST BIEN TON TRAVAIL NON ?!

... PFF... NE PUIS-JE VOIR AYA SANS TOMBER SUR TOI ?

... POURQUOI AS-TU REFUSÉ DE FAIRE L'AMOUR À AYA HIER ?

LES HOMMES AIMENT QUE LES FILLES SE DONNENT D'HABITUDE, NON ?

UN "ÊTRE NORMAL" OU NON ?

JE NE SAIS PAS FAIRE... DES CHOSES QUI N'ONT PAS DE SENS ...

MAIS TU ES QUI... TOI ? JE NE TE COMPRENDS PAS DU TOUT... TU ES UN GARÇON ÉTRANGE ...

J'AIMERAIS SAVOIR QUI JE SUIS MOI-MÊME... C'EST POUR ÇA QUE JE SUIS AVEC LES MIKAGÉ... ÊTRE "TOUT SEUL" NE ME DÉRANGE PAS...

JE VEUX JUSTE SAVOIR... "QUI JE SUIS" ...

ÉCOUTEZ MADEMOISEL-LE, VOUS POURRIEZ ME LÂCHER ? VOUS ME FAITES VRAIMENT MAL ...

AÏE

... QU'EST CE QUE VOUS RACONTEZ ?!!

OU ALORS LE PERSONNAGE D'UNE AUTRE HISTOIRE... COMIQUE DE PRÉFÉRENCE !!

VRRR...

J'ABANDONNE LE RÔLE !! FAITES-MOI DEVENIR SIMPLE FIGURANT !!

QU'EST CE QUE VOUS RACONTEZ ? VOUS ÊTES L'UN DES PERSONNAGES PRINCIPAUX !!

HYAAAAAH !!! LAISSEZ-MOI TRANQUILLE !!! JE NE SUIS QU'UN FIGURANT DANS CETTE HISTOIRE !!

AAA..ï ...E

108

BOOOON, PAS TROP FATIGUÉ ? TU VAS BIEN AKI ?

PAS DU TOUT !!!

OUI MAIS AYA S'EST BIEN TRANSFORMÉE EN UNE AUTRE PERSONNE D'UNE VIE ANTÉ-RIEURE, ELLE !!

POUR CÉRÈS C'EST SPÉCIAL ! ELLE S'EST GLISSÉE DANS LA PEAU DE AYA AFIN DE SE VENGER DES MIKAGÉ !!

NON NON... LA VRAIE RAISON C'EST QUE TU AS FAIT QUELQUE CHOSE DE TRÈS MAL AUPARAVANT DONT IL EST DOU-LOUREUX DE SE SOUVENIR !!

IL EST RARE QUE L'ON SE SOUVIENNE DE CHOSES QUI SE SONT PAS-SÉES AVANT LA NAISSANCE !!

TU ES DE QUEL CÔTÉ TOI !?

POUAF

MOI ? EN GRANDE-BRETAGNE ! IL Y A VINGT ANS DE CELA, EN ÉCOSSE POUR ÊTRE PRÉCIS

...C'EST VRAI AU FAIT ALEX, POURQUOI TU TRAVAILLES DANS CETTE SOCIÉTÉ ? OÙ ES-TU NÉ ?

IL Y A UNE RAISON TRÈS SIMPLE DERRIÈRE MON INTÉRÊT POUR LA ROBE DE PLUME !

MAIS POUR ÊTRE HONNÊTE ...

C'EST LÀ QUE J'AI RENCONTRÉ LE CHEF ...

À DIX ANS JE SUIS ALLÉ AUX USA... PLUS TARD J'AI INTÉGRÉ LE "MIT" ET ENSUITE J'AI TROUVÉ UN POSTE DANS UNE SUCCURSALE AMÉRICAINE DE "MIKAGÉ INTERNATIONAL"

KAGAMI ?

IL CONNAISSAIT L'EXISTENCE DES FAMILLES DE NYMPHES CÉLESTES ET Y PORTAIT UN RÉEL INTÉRÊT... EN ÉCOSSE AUSSI IL EXISTE UNE LÉGENDE SIMILAIRE À CELLE DE LA ROBE DE PLUME... C'EST CELLE DE LA FILLE QUI VIENT DU FOND DES OCÉANS ...

ÇA FAIT PLUSIEURS ANNÉES QUE JE NE LES AI PLUS VUS ET PUIS MES RECHERCHES ET MES ÉTUDES ME PASSIONNENT ...

ET POUR CE QUI EST DU JAPON ? ... TA FAMILLE ? TES AMIS ?

C'EST UNE LÉGENDE ANCIENNE QUI EXISTE SUR TOUS LES CONTINENTS. ON SE DEMANDAIT CE QU'ÉTAIT UNE NYMPHE CÉLESTE... LE CHEF ET MOI-MÊME AVONS DÉCIDÉ DE LE COMPRENDRE ...

TU AS RAISON ...

PLUTÔT QUE DES MYSTÈRES DU PASSÉ... IL FAUT PENSER À CE QUI EST IMPORTANT, LES ÊTRES QU'ON VEUT VOIR ...

...TU DEVRAIS LES APPELER... ILS DOIVENT S'INQUIÉTER ...

... ON NE PEUT PAS NI PLEURER NI RIRE... AVEC LES LIVRES ET LES ORDINA-TEURS ...

MAIS AU FAIT AKI... TU SAIS QUE LE PRÉSIDENT, TON GRAND-PÈRE, EST DANS UN TRÈS MAUVAIS ÉTAT ?

QUOI ? NON, JE L'IGNORAIS !!

... JE N'ÉTAIS PAS AU COURANT... GRAND-PÈRE EST EN MAUVAIS ÉTAT ?!...

LE CHEF EST PARTI LUI RENDRE VISITE CHEZ LUI, IL VA BIENTÔT REVENIR

ATTENDS-LE DANS LA SALLE, TU POURRAS LUI DEMANDER DES NOUVELLES... MAIS CE N'EST PAS LA PEINE DE T'INQUIÉTER TU SAIS ...

TAP !

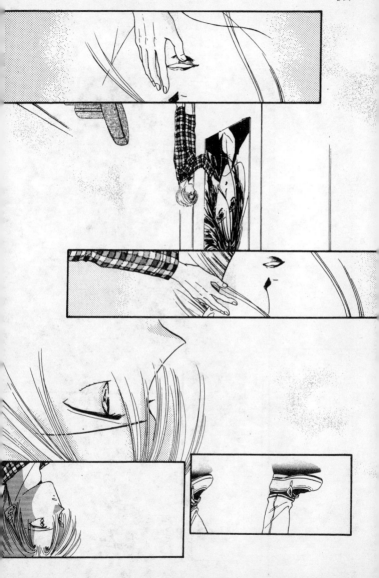

MAINTE-
NANT
C'EST LA
RESPIRA-
TION DE
AKAGI
QUI S'EST
ARRÊTÉE
!!

!!

SASAKI
AUSSI EST
AGONISANT
!!

CELA
EN FAIT
QUATRE
...

TAP

118

...AYA AIME BEAUCOUP DE PENDENTIFS ...

PRENDS-LE !

ÇA NE VIENT PAS DE MOI... TU NE COMPRENDS PAS ? APPAREMMENT AYA SE FICHE DE TES ORIGINES !!

MAIS ELLE A DÉCIDÉ D'ATTENDRE QUE TU DÉCOUVRES "PAR TOI-MÊME" QUE CE N'EST PAS IMPORTANT !

POUR-QUOI ?...

POUR L'INSTANT, TU NE SAIS PAS QUI TU ES MAIS ...

SI UN JOUR TU AS ENVIE DE TE RAPPROCHER DE AYA... ENLÈVE TON COLLIER MIKAGÉ ET PORTE CE PENDENTIF

JE ME LANGUIS DE VOIR CE QUE TOI ET YUHI PORTEZ COMME VÉRITÉ VIS-À-VIS DE AYA

À PROPOS DU RIVAL AMOUREUX YUHI ...

IL N'EN RESTE QUE TROIS ENCORE EN VIE...KUMI AKIYAMA, HIROKAZU YOSHIZUKA

...ET SHOTA... KURUMA ...

PARLONS PLUTÔT DE CES SEPT JEUNES GENS ENTRÉS EN URGENCE À L'HÔPITAL ET QUI MEURENT LES UNS APRÈS LES AUTRES...

CES ENFOIRÉS DE MIKAGÉ... ! ILS FONT DES CHOSES LAMENTABLES !! IL EST ÉVIDENT QU'IL S'AGIT DES CONSÉQUENCES DE MÉDICAMENTS QU'ILS LEUR ONT FAIT INGURGITER !!

DEPUIS QUAND TU ES CHARGÉE DE FAIRE LA NARRATION ?!

DANS UNE ATTITUDE DÉPLORABLE, IL GARDE UNE BASSINE SUR LUI ET VOMIT SES TRIPES ...

JE FAIS CE QUE JE VEUX !!!

LES BLA-BLAS DE YUU WATASE

*Alors, je vous disais que je suis complètement amoureuse de Cloud et je me rends compte que j'ai un faible pour les garçons cools (rires). Séphiroth ou Vincent me plaisent bien aussi... Je dis souvent que j'aime tel ou tel personnage mais ne vous y trompez pas. Quand un auteur dit aimer ses personnages, ce n'est pas la même chose que lorsque vous le dites. Pour l'auteur, aimer ses personnages signifie : bien les concevoir, bien les dessiner ou qu'ils sont faciles à faire bouger, etc. Donc, je ne me trouve jamais dans un état tel que je ne puisse dormir de la nuit sans y penser. Les personnages que je crée, s'ils me séduisent, je me sentirais mal car c'est comme un inceste (rires). Imaginez, c'est comme les enfants que vous avez mis au monde vous-même, vous pouvez comprendre que notre amour est différent du vôtre, non ? Avant, une des lectrices m'a envoyée une lettre me disant "vous êtes une personne qui aimez beaucoup de monde", parce que j'écris souvent aimer divers personnages. Cela m'ennuie car mes sentiments sont telle mon explication ci-dessus et ce n'est pas de l'amour comme vous l'entendez (rires). Je suis très fidèle en amour (on ne doit pas le dire soi-même il paraît). Quand je tombe amoureuse d'une personne, je ne considère même plus les autres garçons (rires). Il existe deux personnes dans ma maison d'édition qui m'ont dit, je ne sais pas pourquoi, "mademoiselle Watase, vous devez être très fidèle", ce qui m'a beaucoup surpris. Mais pourquoi !? (rires). En m'imaginant ainsi, cela me rend malade donc je ne me montrerai pas comme ça aux autres... c'est pas bien. J'ai un côté très masculin (je crois vraiment que dans une vie antérieure, j'étais un garçon. Je ne comprends pas bien ce que les filles pensent en général. C'est peut-être une des raisons pour lesquelles mes œuvres sont plutôt neutres. Si je ne fais pas attention, j'entrerai de plus en plus dans le monde des hommes... Non ça va pas !!!
Je ne suis jamais tombée amoureuse d'une fille ! Mais j'aime quand même dessiner des filles nues... sans doute à cause de ma vie passée... ??? Finalement, je vais continuer d'aimer Cloud. J'aime vraiment les garçons cools !!*

BAH, VU D'EN HAUT, SE FATIGUER À VIVRE EN BAS NE SEMBLE PAS INTÉRESSANT !!

ELLE Y A LAISSÉ SON MARI ET SES ENFANTS... LE CIEL ÉTAIT PEUT-ÊTRE MIEUX QUE SA FAMILLE ?!

JE CROIS QUE ÇA S'APPELLE "UNE ROBE DE PLUME" ? ON DIT QU'ELLE L'A RÉCUPÉRÉE PUIS EST REPARTIE VERS LE CIEL !

LE CIEL EST GRAND ET VASTE ET LES GENS D'AVANT AVAIENT UNE VRAIE PASSION POUR LE CIEL, C'EST PAPA QUI ME LE DISAIT !!

LE DESTIN DES HOMMES EST DE MARCHER SUR LA TERRE...C'EST POUR ÇA QUE NOUS AVONS ENVIE DE QUELQUE CHOSE QUE NOUS N'AVONS PAS ...

METTRE LES PIEDS AU SOL... ET MAR-CHER ...!!

POUR DEVENIR PILOTE ...!

MAIS JE PRÉFÈRE VOLER DANS LE CIEL !!...

126

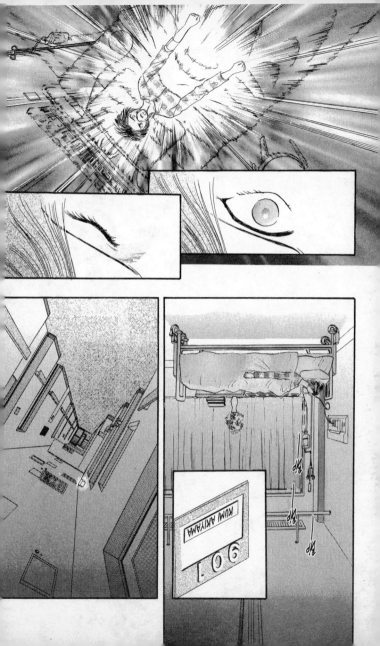

DATE DE NAISSANCE :
le 5 septembre (vierge)
[Actuellement elle a 25 ans]

GROUPE SANGUIN : O

TAILLE : 162 CM
MENSURATIONS : 86/60/87

HOBBY : LE SHOPPING, LA NATATION

SPÉCIALITÉS : LE NICHIBU (DANSE
TRADITIONNELLE JAPONAISE)

SUZUMI AOGIRI

MA...
MAA-
AAAN

ALORS IL N'EN RESTE PLUS QUE DEUX, YOSHIZUKA ET ... SHOTA ...

ILS SONT TOUS MORTS BROYÉS DE L'INTÉRIEUR ? "LA NYMPHE CÉLESTE" EN KUMI AKIYAMA A DÛ SE RÉVEILLER !!

OCTEUR IRITANI !!

SI C'EST VRAI ALORS MOI AUSSI JE SUIS FAUTIVE !!!...

JE SUIS SÛR QU'IL EST PERSUADÉ QUE LA MORT DE MES PARENTS EST DE SA FAUTE

PARCE QU'ILS ONT ESSAYÉ DE LE SAUVER !!

COMMENT !?

SHOTA... SHOTA N'EST PLUS LÀ !!

C'EST MOI QUI AI FORCÉ TOUT LE MONDE À ALLER AU CINÉMA !!

C'EST DONC ÇA... ELLE CULPABILISE POUR LES JAMBES DE SHOTA...

J'AURAIS MIEUX FAIT DE ME TAIRE... JE N'AURAIS PAS DÛ ME COMPORTER COMME UNE ENFANT GÂTÉ... !!!

PAPA N'AVAIT PAS EU DE JOURS DE REPOS DEPUIS LONG-TEMPS...IL AVAIT DIT DE REPORTER NOTRE SORTIE À PLUS TARD À CAUSE DE LA PLUIE MAIS J'AI FAIT UN CAPRICE !!!

142

143

CAR ILS SONT PERSUADÉS QUE C'EST LA RÉINCARNATION DU COUPLE QUI S'EST SUICIDÉ DANS SA VIE ANTÉRIEURE ...

À L'INVERSE, DANS CERTAINES RÉGIONS DU JAPON, ON APPELLE JUMEAUX LES "ENFANTS COUPLES" ET ILS SONT DÉTESTÉS !!

DANS CERTAINES MYTHOLOGIES AUSSI, ON EXPLIQUE AINSI "LA NAISSANCE DE L'HUMANITÉ"

DANS CERTAINS PAYS ÉTRANGERS, ON QUALIFIE DE JUMEAUX DES "FIANCÉS" ET CELA COMPORTE UN SENS SPÉCIAL POUR QUALIFIER CES AMOUREUX ...

CE N'EST PAS LA PEINE DE TE REPROCHER UN PÉCHÉ... TU SAIS ?

DANS CE MONDE, UN GARÇON ET UNE FILLE... CE NE SONT FINALEMENT QUE DEUX ÊTRES VIVANTS !!

DANS CERTAINS PAYS, ILS DISENT QUE LE MONDE A COMMENCÉ PAR LA RÉUNION DE DEUX DIEUX JUMEAUX FILLE ET GARÇON. CE N'EST PAS TABOU, TU SAIS ...

LES BLA-BLAS DE YUU WATASE

Au fait, dans ce volume, on parle du département de Tochigi. Le village de Amago existe vraiment. À cause du travail, une autre personne que moi de ma maison d'édition s'y est rendue afin de faire des repérages filmés (je leur donne trop de travail hein ?!). En plus, il y apparaît une dame qui dit être une descendante de nymphes célestes !! J'admire la personne de ma maison d'édition qui l'a interviewée. En tous cas, j'étais surprise d'apprendre l'existence de ce village qui serait là depuis l'époque de Jomon. Ce n'est pas une plaisanterie, si on continue à faire un tour du Japon on trouvera pleins de famille provenant des nymphes célestes. En plus le fameux Michizané Sugawara dans une des légendes est un enfant de nymphe céleste. …Alors donc cette dame est porteuse du génome C !? Au fait, lors des précédents tests d'ADN (à l'étranger), on a découvert sur une personne qu'il était l'un des descendant d'un homme de cro-magnon ou de l'âge de pierre. Ça prouve bien que si on examine le gène on peut tout trouver. Le commentaire de son épouse était extra "j'ai enfin compris pourquoi il aime manger la viande saignante" et c'était une bonne blague !! Oui, il est vrai que les étrangers quand ils rigolent, ils disent vraiment "ha, ha, ha !!". Vous savez pourquoi je vous en parle ? Je viens juste de rentrer de mon voyage de Floride !! Au début, c'était un projet de faire un voyage en Arizona mais comme on voulait en profiter pour s'amuser, on a tout changé et on a décidé de visiter "DisneyWorld" et les studios "Universal". Voilà pourquoi j'ai autant de travail en retard !! (rires). Je suis fatiguée mais c'était un bon moment !! Avant tout, il y a des attractions que l'on n'a pas à "Tokyo Disney" et c'était vraiment le pied !"E-X"ou quelque chose comme ça, est une attraction avec des extras-ter-restres et ça faisait aussi très peur !! Il y avait des jets d'eau, ils soufflaient dessus et quand ils me touchaient la tête, je n'arrêtais pas de crier !! je me demande si cette attraction viendra un jour au Japon.

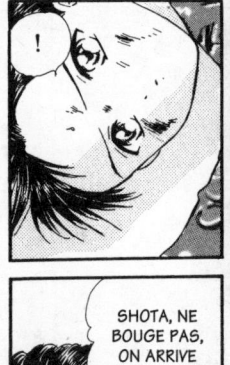

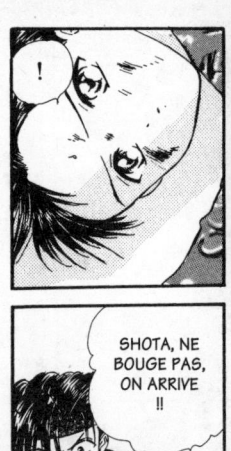

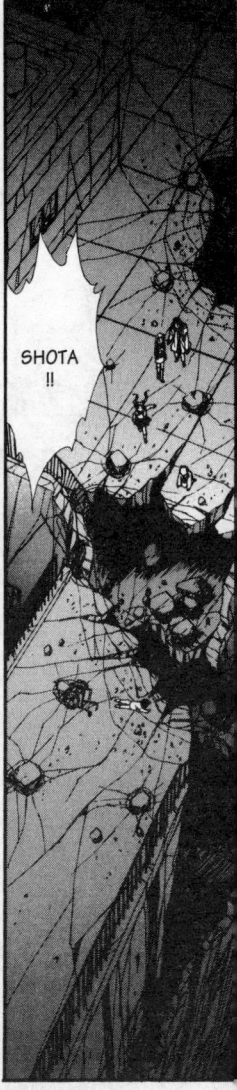

...IL NE FAUT PAS ATTRISTER LES AUTRES...CEUX QUI PENSENT À TOI ...

...PLUS TARD ...TU DOIS FAIRE EN SORTE DE RENDRE LA PAREILLE À CEUX QUI T'ONT AIDÉ !!

...QUAND C'EST DUR IL FAUT SAVOIR DEMANDER DE L'AIDE AUX AUTRES MAIS ÇA NE SIGNIFIE PAS QU'IL FAUT SE LAISSER ALLER !!

GRII.

...TA SŒUR QUI TE FAIT CONFIANCE... !!

YUHI

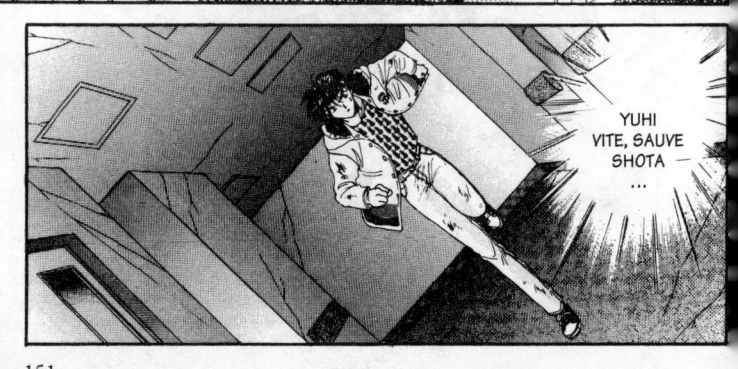

YUHI VITE, SAUVE SHOTA —...

151

BAM!!M

C'EST QUOI... ÇA ?!

152

OUAAA-AAAAAH !!!

GNN

CRISH CRISH CRISH

J'AI L'IMPRESSION QUE QUELQUE CHOSE SORT DE MON CORPS ...

... J'AI MAL ...

TOI... AIDE-MOI !!...

SHOOO-OOO ...

BO

BOM

Alors, à "Disney World", il y avait "Magic Kingdom", "MGM" "Epcot" ces trois endroits sont tous différents et amusants mais "Terminator 2" en 3 D de "Universal Studios" était extrêmement génial !!!! C'était tellement bien que les autres attractions me semblaient tout d'un coup très nulles (rires), si vous avez l'occasion d'y aller il ne faut absolument pas le rater ! Ça m'a donné la chair de poule et à la fin tout le monde applaudissait !! C'était super. À Osaka aussi, il paraît qu'un "Universal" va s'ouvrir, j'espère que vous vous y rendrez. Certainement, "Retour vers le futur" sera la plus importante des attractions…(je ne l'ai pas essayée mais il y a une raison).Une amie y est montée et m'a dit qu'après avoir vu cela, même "Terminator 2" lui semblait "rien du tout". En tous cas, on en parlera encore à la prochaine occasion. Oh la la, cette fois-ci, j'ai commencé par un sujet trop sérieux. En fait, c'est parce qu'il y a un rapport avec l'histoire de ce volume. Le nouveau personnage de ce volume "Chidori" est un des personnages que j'avais créés avant même de commencer cet épisode. L'histoire aussi je l'avais déjà imaginée jusqu'à la fin mais cela a changé un peu donc je ne sais pas encore comment la terminer. D'après mes assistantes, Chidori est un personnage "extrêmement savoureux"… Par rapport à ma dernière œuvre, il existe de plus en plus de personnages féminins dans cette série. À vrai dire, les membres de la famille Mikagé sont en majorité des hommes. J'ai imaginé la bataille entre hommes et femmes, mais il y a beaucoup d'autres choses aussi…

Dans le volume suivant, l'histoire prend un tour inattendu. Vous allez vous dire "c'est quoi ça ?!" (rires). Attendez encore avec patience car à partir du prochain volume, on entre dans l'essentiel de l'histoire…Mais rassurez-vous, Toya gardera encore longtemps son mystère. Bon, à la prochaine !!

161

MOI JE LE SAIS...TOUS CEUX QUI ÉTAIENT ENTRÉS AVEC MOI À L'HÔPITAL SONT MORTS !!!

POURQUOI ?... POURQUOI AI-JE... AUSSI MAL ?!!

MERDE !!...

GNN GNN

CE JOUR LÀ...J'AI POURTANT PRIS LES MÉDICAMENTS QUE L'ON M'AVAIS DONNÉ AU CENTRE MÉDICAL...

GRAP

QUI A FAIT ÇA ?!! DITES-MOI TOUT DE SUITE CE QUE VOUS SAVEZ !!!

POURQUOI ?... POURQUOI DOIS-JE SUBIR TOUT ÇA ?!!

162

164

BIEN SÛR QUE NON...J'AI L'AI ENDORMIE POUR LA CAPTURER !

...TU... L'AS TUÉE !?

ALORS... CETTE FILLE...

CETTE ENFANT A APPAREMMENT RÉUSSI À SURVIVRE...

"LES PORTEURS DU GÉNOME C" DEVAIENT ALORS SOIT RÉAGIR ET SE TRANSFORMER, SOIT LE REFUSER ET MOURIR...

ON A FAIT CROIRE DANS LA PRESSE QU'IL Y AVAIT UNE BACTÉRIE ICI ET AINSI MIKAGÉ A PU DISTRIBUER SES MÉDICAMENTS...

!!

SHOTA... C'EST VRAI, SHOTA EST EN DANGER !!

166

VOUS SEREZ CONSIDÉRÉ COMME UN TRAÎTRE MONSIEUR TOYA !!

SI VOUS FAITES ENCORE DES CHOSES BIZARRES ...

...JE VOIS

VOUS NE VOULEZ PAS MOURIR, N'EST-CE PAS ...?

J'ÉTAIS SURVEILLÉ MOI AUSSI !

Bip Bip

YAMAMINÉ, LA SŒUR DE CELUI QU'ON CROYAIT PORTEUR DU GÉNOME C, SHOTA KURUMA, VIENT DE SE TRANSFORMER SOUS MES YEUX ! IL Y A ÉGALEMENT UN AUTRE PORTEUR DU GÈNE... YOSHIZUKA...

ALLÔ ...

169

SCHISH

... !?

OUF...

YUHI ...

... QU'EST CE QUE ...

... JE SUIS DEVENUE ... ? !

171

172

MADE-
MOISEL-
LE KUMI
AKIYAMA
...

...
AKIYAMA

OÙ SUIS-JE... ?
CE N'EST PAS
L'HÔPITAL
?

NE VOUS
INQUIÉTEZ
PAS...VOUS
N'AVEZ PAS DE
RAISON D'AVOIR
PEUR, VOUS AVEZ
ÉTÉ CHOISIE PARMI
LES PORTEURS DU
GÉNOME C
...

OUI, VOUS L'AVEZ HÉRITÉ DE VOS ANCÊTRES, VOS POUVOIRS EN SONT LA PREUVE !!

GÉNOME C ?... CHOISIE ?...

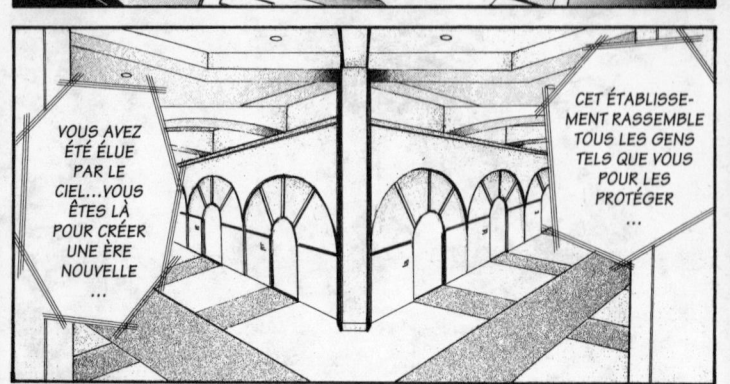

VOUS AVEZ ÉTÉ ÉLUE PAR LE CIEL...VOUS ÊTES LÀ POUR CRÉER UNE ÈRE NOUVELLE ...

CET ÉTABLISSE- MENT RASSEMBLE TOUS LES GENS TELS QUE VOUS POUR LES PROTÉGER ...

AVEC ELLE, CELA FAIT UN COMPTE DE SIX NYMPHES CÉLESTES ...

BON... ALLEZ... REPOSEZ- VOUS UN PEU

MAINTENANT QUE VOTRE FORCE S'EST RÉVEILLÉE EN VOUS, VOTRE DOULEUR VA SE DISSIPER

LE CAS CHIDORI EST UN CAS À PART...

À PART AYA, JUSQU'ALORS, IL N'Y AVAIT AUCUN PORTEUR DE GÉNOME C QUI AIT SUBI UNE TRANSFORMATION CELLULAIRE...

IL NOUS FAUT CHIDORI KURUMA ET CÉRÈS !!

ON PEUT CROIRE QUE PARMI NOS SIX NYMPHES CÉLESTES CERTAINES VONT ÉGALEMENT SUBIR DES TRANSFORMATIONS MAIS...

IL RESTE AUSSI À RÉGLER LE CAS DE TOYA !!

QUOI ?

PARDON DE VOUS AVOIR FAIT ATTENDRE !!

OÙ AS-TU MIS TON COLLIER ? CELUI EN FORME DE CROIX... ?

BEN JE NE LE RETROUVE PLUS... JE NE SAIS PAS CE QUE J'AI PU EN FAIRE !!

COMMENT ÇA "QUOI ?" ? J'AI DÉCIDÉ DE VOUS ACCOMPAGNER BIEN SÛR !!!

DITES DONC, OÙ EST CHIDORI ?

HEIIIIIIIN !?

AVEC CETTE NOUVELLE FORCE, JE NE PEUX QUE VOUS SUIVRE !!

D'APRÈS CE QUE VOUS M'AVEZ RACONTÉ, LES MIKAGÉ VONT TENTER À NOUVEAU DE ME CAPTURER NON ?

C'EST MOI QUI LUI AI DIT DE PARTIR !

MAIS... ET SHOTA ALORS ?!!

AYASHI NO CÉRÈS 4 – UN CONTE DE FÉES CÉLESTE ★ FIN ★

GALERIE D'IMAGES

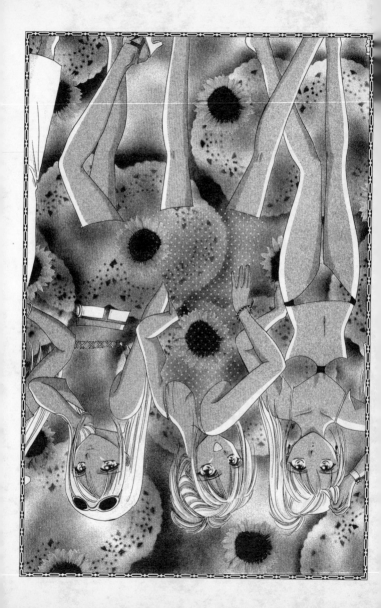

"AYASHI NO SERESU !"
un conte de fées céleste
© 1996 by WATASE yuu

All rights reserved
Original japanese edition published in 1996 by SHOGAKUKAN Inc., Tokyo
French translation rights arranged with SHOGAKUKAN Inc.
for Belgium, Canada, France, Luxembourg and Switzerland.

Édition française :
© 2001 TONKAM
BP 356 - 75526 Paris Cedex 11.
Traduction : Satoko Renaud
Adaptation Lettrage et Maquette : Studio TONKAM

1re édition : janvier 2001
2e édition : septembre 2001

Achevé d'imprimer en septembre 2001
sur les presses de l'imprimerie Darantière à Quétigny (Côte d'Or)
Dépôt légal : septembre 2001